Günter Eich

Botschaften des Regens

Gedichte

Suhrkamp Verlag

Drittes bis fünftes Tausend 1961

Botschaften des Regens

Ende eines Sommers

Wer möchte leben ohne den Trost der Bäume!

Wie gut, daß sie am Sterben teilhaben!
Die Pfirsiche sind geerntet, die Pflaumen färben sich,
während unter dem Brückenbogen die Zeit rauscht.

Dem Vogelzug vertraue ich meine Verzweiflung an.
Er mißt seinen Teil von Ewigkeit gelassen ab.
Seine Strecken
werden sichtbar im Blattwerk als dunkler Zwang,
die Bewegung der Flügel färbt die Früchte.

Es heißt Geduld haben.
Bald wird die Vogelschrift entsiegelt,
unter der Zunge ist der Pfennig zu schmecken.

Tage mit Hähern

Der Häher wirft mir
die blaue Feder nicht zu.

In die Morgendämmerung kollern
die Eicheln seiner Schreie.
Ein bitteres Mehl, die Speise
des ganzen Tags.

Hinter dem roten Laub
hackt er mit hartem Schnabel
tagsüber die Nacht
aus Ästen und Baumfrüchten,
ein Tuch, das er über mich zieht.

Sein Flug gleicht dem Herzschlag.
Wo schläft er aber
und wem gleicht sein Schlaf?
Ungesehen liegt in der Finsternis
die Feder vor meinem Schuh.

Waldblöße

Die spinnwebüberzogenen Gräser,
ein Fahrrad am Kiefernstamm,
der Fasan im Rucksack des Försters —

es rinnt zum Zeichen zusammen,
das die Vogelschwärme mitnehmen
ins Winterquartier.

Der Ring der Vogelwarte.

Ein Fremder entdeckt ihn
am Fuß der Grasmücke.
Verwundert liest er die Botschaft.

Gegenwart

An verschiedenen Tagen gesehen,
die Pappeln der Leopoldstraße,
aber immer herbstlich,
immer Gespinste nebliger Sonne
oder von Regengewebe.

Wo bist du, wenn du neben mir gehst?

Immer Gespinste aus entrückten Zeiten,
zuvor und zukünftig:
Das Wohnen in Höhlen,
die ewige troglodytische Zeit,
der bittere Geschmack vor den Säulen Heliogabals
und den Hotels von St. Moritz.
Die grauen Höhlen, Baracken,
wo das Glück beginnt,
dieses graue Glück.

Der Druck deines Armes, der mir antwortet,
der Archipelag, die Inselkette, zuletzt Sandbänke,
nur noch erahnbare Reste
aus der Süße der Vereinigung.

(Aber du bist von meinem Blute,
über diesen Steinen, neben den Gartensträuchern,
ausruhenden alten Männern auf der Anlagenbank
und dem Rauschen der Straßenbahnlinie sechs,
Anemone, gegenwärtig
mit der Macht des Wassers im Aug
und der Feuchtigkeit der Lippe —)

Und immer Gespinste, die uns einspinnen,
Aufhebung der Gegenwart,
ungültige Liebe,
der Beweis, daß wir zufällig sind,
geringes Laub an Pappelbäumen
und einberechnet von der Stadtverwaltung,
Herbst in den Rinnsteinen
und die beantworteten Fragen des Glücks.

D-Zug München—Frankfurt

Die Donaubrücke von Ingolstadt,
das Altmühltal, Schiefer bei Solnhofen,
in Treuchtlingen Anschlußzüge —

Dazwischen
Wälder, worin der Herbst verbrannt wird,
Landstraßen in den Schmerz,
Gewölk, das an Gespräche erinnert,
flüchtige Dörfer, von meinem Wunsch erbaut,
in der Nähe deiner Stimme zu altern.

Zwischen den Ziffern der Abfahrtszeiten
breiten sich die Besitztümer unserer Liebe aus.
Ungetrennt
bleiben darin die Orte der Welt,
nicht vermessen und unauffindbar.

Der Zug aber
treibt an Gunzenhausen und Ansbach
und an Mondlandschaften der Erinnerung
— der sommerlich gewesene Gesang
der Frösche von Ornbau —
vorbei.

Der große Lübbe-See

Kraniche, Vogelzüge,
deren ich mich entsinne,
das Gerüst des trigonometrischen Punkts.

Hier fiel es mich an,
vor der dunklen Wand des hügeligen Gegenufers,
der Beginn der Einsamkeit,
ein Lidschlag, ein Auge,
das man ein zweites Mal nicht ertrüge,
das Taubenauge mit sanftem Vorwurf,
als das Messer die Halsader durchschnitt,
der Beginn der Einsamkeit,
hier ohne Boote und Brücken,
das Schilf der Verzweiflung,
der trigonometrische Punkt,
Abmessung im Nichts,
während die Vogelzüge sich entfalten,
Septembertag ohne Wind,
güldene Heiterkeit, die davonfliegt,
auf Kranichflügeln, spurlos.

Herrenchiemsee

All ihr herbstlich Fliegenden
Vogelwind, Vogelblätter —
Weinlese ist gehalten,
in den Bergen fällt Schnee.

Ludwig wollte nicht, daß man ihn essen sah.
Zu unsichtbaren Kerkern gerinnt der Föhn,
wie leicht aber erklärte sich alles
aus den Wirbeln des fallenden Eschenblatts!

Vom Wald her beginnt der Regen,
der zur Tafel des Königs kommt,
vom Rohr her die Glocke der weidenden Kühe,
daß er die Ohren mit Wachs verstopft.
Hinter den Schlüssellöchern lachen die Diener.

All ihr herbstlich Fliegenden,
schwarze Blätter zur Dämmerung,
wenn die ersten Fenster hell werden
mit verzweifeltem Licht,
wenn ich mein Kind lachen höre
und die Augen hinter den Händen verberge.

Botschaften des Regens

Nachrichten, die für mich bestimmt sind,
weitergetrommelt von Regen zu Regen,
von Schiefer- zu Ziegeldach,
eingeschleppt wie eine Krankheit,
Schmuggelgut, dem überbracht,
der es nicht haben will —

Jenseits der Wand schallt das Fensterblech,
rasselnde Buchstaben, die sich zusammenfügen,
und der Regen redet
in der Sprache, von welcher ich glaubte,
niemand kenne sie außer mir —

Bestürzt vernehme ich
die Botschaften der Verzweiflung,
die Botschaften der Armut
und die Botschaften des Vorwurfs.
Es kränkt mich, daß sie an mich gerichtet sind,
denn ich fühle mich ohne Schuld.

Ich spreche es laut aus,
daß ich den Regen nicht fürchte und seine Anklagen
und den nicht, der sie mir zuschickte,
daß ich zu guter Stunde
hinausgehen und ihm antworten will.

Verlassene Alm

Regenwasser
in den Trittspuren der Kühe.
Ratlose Fliegen
nah am November.

Der rote Nagel wird den Wind nicht überstehen.
Der Laden wird in den Angeln kreischen,
einmal an den Rahmen schlagen,
einmal an die Mauer.

Wer hört ihn?

Mirjam

Im Pavillon, wo Mirjam war,
vermorscht das Fensterkreuz.
Die Spinne webt ihr graues Haar
und wessen Hand verstreut's?

Gib acht, das Rohr vergilbt wie Stroh.
Heut ist, was gestern war.
Ein Lachen hallt von irgendwo
und Mirjam löst ihr Haar.

Westwind

Vorhergesagter Wind,
atlantische Störung,
der Schnee herträgt
und das Feuer im Ofen schürt.

Rostfleck
auf der Rüstung des Kreuzfahrers,
Regentropfen, nicht mehr weggewischt,
weil er starb.

Geruch des Hundefells
und verklebtes Haar.
Weich sinken die gespaltenen Hufe
der Zugochsen ein.

Auf der Kapuze
Perlen getauten Schnees,
beleuchtet
vom Schaufenster des Krämers.

Atlantisches Tief.
Morgen sind die Häher
auf den Tannen
voll Einverständnis.

Längen- und Breitengrad,
das Gemeindesiegel,
das den Ort festlegt,
der Regentropfen
auf der Geburtsurkunde.

Das Salz der Weisheit
und die Gräber auf dem Kirchenhügel.
Ich sage dir nicht oft genug,
daß ich dich liebe.

Strandgut

Bruchstücke von Gesprächen,
die unter Wasser geführt werden,
auf den Sand geworfene Antworten, —

Keine Fährten, aber die Wellenränder
mit Quallen und Algenteilchen,
Holzsplitter, Muschelschale und Bernsteinrest,
und die Welle, die zurückläuft,
daß hinter der Feuchtigkeit
der Sand sich wieder erhellt,
als begebe sich eine schnelle Dämmerung.

Die Frage erwartend
flattert das Gras auf der Düne.

Strand mit Quallen

Sterntaler, Meertaler,
geprägt in der Schmiede des Wassers
unter der Herrschaft nicht mehr verehrter Könige.
Silberner Schleim, erstarrt im Dezemberfrost.
Undeutbar
das rötlich durchscheinende Wappentier,
hieroglyphisch die Inschrift.

Verborgen sind die Märkte,
wo Tangwälder von Träumen gehandelt werden,
Anteile am Regen, der ins Meer fällt,
und das Bürgerrecht versunkener Städte.

Die Armut bückt sich nicht,
die Kiefer dreht sich landeinwärts.
Niemand wird erwartet außer dem Wind.

Belagerung

Vögel, die um Futter kommen,
behalten dein Bild auf der Netzhaut.
Sie tragen es zu den Wölfen ins Dickicht,
in die Bereitstellung der Springflut
und zum Sammelplatz der Haie.

Abends sollen dich
die Sonnenuntergänge sicher machen
und die Freundlichkeit,
mit der die Fenster erleuchtet werden.
Aber du weißt, welche Lider
sich über den grünen Lichtern geöffnet haben.
Die Auswege sind bewacht.

Würfle es jetzt, da du umstellt bist,
zähle es ab an den Ästen vor deinem Fenster,
lies es in den Linien deiner Hand:
Der den Angriff befiehlt,
ist auch um deine Rettung besorgt.

Die Wölfe verlieren morgens deine Spur im Schnee.

Bach im Dezember

1

Der grüne Schopf der Wasserpflanzen,
von der Strömung
dem Stein in die Stirne gekämmt.
Die Gedanken
machen das Wasser eisig.

2

Die Linien der Eisränder zeichnen Unruhe auf,
das Fieber des Schilfs, die Erdbeben der Schnecken.
Ihre Diagramme werden erwartet.

3

Der Ölfleck fuhr hinab wie ein Boot,
der Schatten der Angel ist vergessen.
Strömung, Einsicht der Fische —

An einem Wintermorgen

Wen könnte ich befragen?
Ich hörte den Atem vorm Haus.
Doch der Schlosser schickte mich fort,
der Arzt öffnete nicht.

Wälder und Ställe haben
ihr Vermögen an Mitleid überschritten.
Der Milchwagen nahm uns eine Krankheit ab.
Seine Lichter sind fiebrig.

Ich verfolge die Räderspur,
sie führt in das Dickicht.
Der Schnee bewahrt noch die Zeichen
für die Rückkehr der Vögel auf.

Kleine Reparatur

Kleine Reparatur: Flammenstoß aus Karbid.
Es genügt ein Mann.
Ein Riß, sagt er, im Geländer der Brücke.

Eine Heftpflaster-Wunde.
So sagt er, um uns zu täuschen,
denn Krankheiten gehen um im Drahtsystem der Erde.
Telefonleitungen und Erdkabel verbreiten sie weiter,
Lues, Tuberkulose, Krebs, Leukämie,
Krankheiten, die dem Metall nicht zukommen.
Man hat sie zu spät erkannt.

Aber was hätte man aufhalten können?
Vielleicht liegt dem eine Absicht zugrunde:
Es könnte sein, daß eine Rangänderung im Gange ist.
Das erste, was der Mensch abgeben muß,
sind seine Krankheiten.
Später das andere.

Weg zum Bahnhof

Noch schweigt die Fabrik,
verödet im Mondschein.
Das Frösteln des Morgens
wollt ich gewohnt sein!

Rechts in der Jacke
die Kaffeeflasche,
die frierende Hand
in der Hosentasche,

so ging ich halb schlafend
zum Sechsuhrzug,
mich griffe kein Trauern,
ich wär mir genug.

Nun aber rührt der warme Hauch
aus den Bäckerein
mein Herz an wie eine Zärtlichkeit
und ich kann nicht gelassen sein.

Lemberg

1

Stadt auf wievielen Hügeln.
Ergrautes Gelb.
Einen Glockenton gibt es dir mit,
hörbar im Klirren
deiner Erkennungsmarke.

2

Abhänge wie die Angst unzählbar.
Die Straßenbahn endet
in einer Steppe von Unkraut
vor abgegriffenen Türen.

Februar

Vom Wind durch leere Straßen getrieben,
an Wirtshaus und Läden vorbei, —
Schnee hat meine Wangen gerieben
und riß mir die Haut entzwei.

Aus Asche gestreut verschlungene Zeichen
über dem freigewehten Stein.
Klingt mir das Ohr, wer will mich erreichen?
Kein Herz, kein Geläute holen mich ein.

Doch der Gedanke hat pochende Hufe,
und Kufen schleifen im Wagengleis,
ein Echo greift flüchtig nach Gitter und Stufe
aus windgebauschten Ärmeln von Eis.

Warst du es, Schatten, der meiner gedachte
und im Läuten der Schellen war?
Ach, der mich flüsternd anrief und lachte,
warf er mir Asche auf Brauen und Haar?

Veränderte Landschaft

Die Schwermut kommt von Süden,
daß wir die Schneefelder sehen
und die Waldblößen,
die Stellen im Herzen,
die vergessen sind,
Baumgruppen des Zweifels,
die geschwungenen Wege der Zuversicht
und die Zäune der Armut.

Ob die Toten den Föhn spüren,
zeigen die Brachfelder an.
(Es ist verschieden
wie die Schneereste verschieden sind.)
Die Nachricht der Maulwurfshügel
wird noch weitergegeben,
aber nicht mehr gültig sind
die Namen der Dörfer.

Andenken

Die Moore, in die wir gehen wollten, sind trockengelegt.
Der Torf hat unsere Abende gewärmt.
Schwarzen Staub hebt der Wind auf.
Er bläst die Namen von den Grabsteinen
und trägt uns ein
mit diesem Tage.

Wo ich wohne

Als ich das Fenster öffnete,
schwammen Fische ins Zimmer,
Heringe. Es schien
eben ein Schwarm vorüberzuziehen.
Auch zwischen den Birnbäumen spielten sie.
Die meisten aber
hielten sich noch im Wald,
über den Schonungen und den Kiesgruben.

Sie sind lästig. Lästiger aber sind noch
die Matrosen
(auch höhere Ränge, Steuerleute, Kapitäne),
die vielfach ans offene Fenster kommen
und um Feuer bitten für ihren schlechten Tabak.

Ich will ausziehen.

März

Manche hoffen noch,
das Jahr werde hier enden.
Aber die Abflüsse des Schnees
sind ohne Mitleid.

Schwarz von Schlaf
das Fell des Maulwurfs.
Ihm, der dir zugetan ist,
vergehen die Wochen,
während das Hagelkorn
auf deinem Handrücken schmilzt.

In eine Schiefertafel eingegraben
kehrt die Kindheit zurück:
Das Gras richtet sich auf und horcht.

Reise

Du kannst dich abwenden
vor der Klapper des Aussätzigen,
Fenster und Ohren verschließen
und warten, bis er vorbei ist.

Doch wenn du sie einmal gehört hast,
hörst du sie immer,
und weil er nicht weggeht,
mußt du gehen.

Packe ein Bündel zusammen, das nicht zu schwer ist,
denn niemand hilft tragen.
Mach dich verstohlen davon und laß die Tür offen,
du kommst nicht wieder.

Geh weit genug, ihm zu entgehen,
fahre zu Schiff oder suche die Wildnis auf:
Die Klapper des Aussätzigen verstummt nicht.

Du nimmst sie mit, wenn er zurückbleibt.
Horch, wie das Trommelfell klopft
vom eigenen Herzschlag!

Es ist gesorgt

Es ist gesorgt,
daß die Armen nicht ohne Gebete einschlafen.
Der Güterzug spricht, was ihm vorgezeichnet ist.
Wort um Wort fällt der Wassertropfen ein.
Gegen Morgen liest der Wind
in dorrenden Blättern.

Gebete, die um das bitten, was geschieht,
die tägliche Demütigung,
das Salz auf die Wunden,
das steinerne Brot
und eine kürzere Wegstrecke.

Die Tröstungen sind versteckt:
Im Kehricht vervielfacht die Rose
abblätternd
ihren geträumten Duft.

Behalte den Augenblick

Behalte den Augenblick,
wo Seile und Bretter abgelegt sind,
die Träger in der Wirtschaft Karten spielen,
im Trauerhaus wieder das Feuer brennt
und das erste Gelächter zu hören ist.

In anderen Sprachen

Wenn der Elsternflug mich befragte,
das Wippen der Bachstelze,
in allen Jahrhunderten vor meiner Geburt,
wenn das Stumme mich fragte,
gab mein Ohr ihm die Antwort.

Heute erinnert mich
der Blick aus dem Fenster.
Ich denke in die Dämmerung,
wo die Antwort auffliegt,
Federn bewegt,
im Ohr sich die Frage rührt.

Während mein Hauch sich noch müht,
das Ungeschiedne zu nennen,
hat mich das Wiesengrün übersetzt
und die Dämmerung denkt mich.

Mittags um zwei

Der graue Spitz des Pfarrers
an der Sakristeitür.
Vor seinen erblindenden Augen
schwirren im Sand die Flügel der Sperlinge.

Er spürt wie Erinnerungen
die Schnur des Fasanenbündels,
die in der Friedhofsmauer als Riß erschien,
das Beben der Grabsteine,
wenn die Raupe buckelt vorm lähmenden Stich,
die Verfärbung der Ziegel
beim Schrei des sterbenden Maulwurfs.

Gelassen vernimmt er
das Gerücht aus den Wäldern,
die Tore des Paradieses würden geöffnet.

Fränkisch-tibetischer Kirschgarten

Gebet im Ohr der Stare
aus den Zellen der Klosterstadt,
über den Kirschenhängen
die Aderung im Blatt,

mit Rost- und Regenzeichen
geschrieben auf flatterndes Gras,
was von zerfransten Bändern
zornig der Paßwind las,

von einem Wolkenschatten
in die Kirschenhaut geprägt,
ein Rauschen, das die Schnecke
in ihrem Hause trägt,

das vom Boden des Kessels
aufsteigt, eine Welle im Tee,
über den Pilgerzelten
gehißt als Fahne von Schnee.

Der Mann in der blauen Jacke

Der Mann in der blauen Jacke,
der heimgeht, die Hacke geschultert, —
ich sehe ihn hinter dem Gartenzaun.

So gingen sie abends in Kanaan,
so gehen sie heim aus den Reisfeldern von Burma,
den Kartoffeläckern von Mecklenburg,
heim aus Weinbergen Burgunds und kalifornischen Gärten.

Wenn die Lampe hinter beschlagenen Scheiben aufscheint,
neide ich ihnen ihr Glück, das ich nicht teilen muß,
den patriarchalischen Abend
mit Herdrauch, Kinderwäsche, Bescheidenheit.

Der Mann in der blauen Jacke geht heimwärts;
seine Hacke, die er geschultert hat,
gleicht in der sinkenden Dämmerung einem Gewehr.

Die Pfarrersköchin

Die Pfarrersköchin schwenkt die Pfanne,
der Teig verteilt sich mit Gezisch.
Hier wartet Eiweiß, Lauch und Fisch,
der Rahm in der Emaillekanne.

Geruch von Rauch und von Gewürzen.
Die Köchin schwitzt im Feuerschein.
Die Gartenarbeit fällt ihr ein.
Die rote Grütze muß sie stürzen.

Sie scheucht die Fliege aus dem Haar
und von den frischgetünchten Mauern.
Der Regen draußen wird nicht dauern.
Wie schnell verging das letzte Jahr!

Der Mesner zieht die Glockenschnur,
im Echo schwingt das Netz der Spinnen.
Unhörbar mahnt im Niederrinnen
der rote Sand der Eieruhr.

Kurz vor dem Regen

Gleich wird es regnen, nimm die Wäsche herein!
Auf der Leine die Klammern schwanken.
Ein Wolkenschatten verdunkelt den Stein.
Die Dächer sind voller Gedanken.

Sie sind gedacht in Ziegel und Schiefer,
gekalkten Kaminen und beizendem Rauch.
Mein Auge horcht den bestürzenden Worten, —
o lautloser Spruch aus dem feurigen Strauch!

Ein Schluchzen beginnt in mir aufzusteigen.
Die wandernden Schatten ändern den Stein.
Ein Windstoß zerrt an den flatternden Hemden.
Gleich regnet es. Hol die Wäsche herein!

Im Sonnenlicht

Die Sonne, wie sie mir zufällt,
kupfern und golden,
dem blinzelnden Schläfer, —
ich habe sie nicht verlangt.

Ich will sie nicht, wie sie die Haut mir bräunt
und mir Gutes tut,
ich fürchte das Glück, —
ich habe es nicht verlangt.

Die ihr sie hinnehmt,
kupfern und golden,
daß sie das Weizenkorn härtet,
daß sie die Traube kocht, —
wer seid ihr, daß ihr nicht bangt?

Was üppig sie gab,
was wir genommen ohne Besinnen,
das unverlangte Geschenk, —
eines bestürzenden Tages
wird es zurückverlangt.

Was zu verschwenden erlaubt war,
die kupferne Scheidemünze,
die Haufen Goldes,
die vertanen Reichtümer, — genau
wird es zurückverlangt.

Aber wir werden leere Taschen haben
und der Gläubiger ist unbarmherzig.
Womit werden wir zahlen?
O Brüder, daß ihr nicht bangt!

Betrachtet die Fingerspitzen

Betrachtet die Fingerspitzen, ob sie sich schon verfärben!

Eines Tages kommt sie wieder, die ausgerottete Pest.
Der Postbote wirft sie als Brief in den rasselnden Kasten,
als eine Zuteilung von Heringen liegt sie dir im Teller,
die Mutter reicht sie dem Kinde als Brust.

Was tun wir, da niemand mehr lebt von denen,
die mit ihr umzugehen wußten?
Wer mit dem Entsetzlichen gut Freund ist,
kann seinen Besuch in Ruhe erwarten.
Wir richten uns immer wieder auf das Glück ein,
aber es sitzt nicht gern auf unseren Sesseln.

Betrachtet die Fingerspitzen! Wenn sie sich schwarz färben,
ist es zu spät.

Schuttablage

Über den Brennesseln beginnt,
keiner hört sie und jeder,
die Trauer der Welt; es rührt der Wind
die Elastik einer Matratzenfeder.

Wo sich verwischt die goldene Tassenschrift,
im Schnörkel von Blume und Trauben,
wird mir lesbar, — o wie es mich trifft:
Liebe, Hoffnung und Glauben.

Ach, wer fügt zu bitterem Scherz
so die Scherben zusammen?
Durch die Emaille wie durch ein Herz
wachsen die Brennesselflammen.

Im verrosteten Helm blieb ein Wasserrest,
schweifenden Vögeln zum Bade.
Verlorene Seele, wen du auch verläßt,
wer fügt dich zusammen in Gnade?

Briefstelle

Keins von den Büchern werde ich lesen.

Ich erinnere mich
an die strohumflochtenen Stämme,
an die ungebrannten Ziegel in den Regalen.
Der Schmerz bleibt und die Bilder gehen.

Mein Alter will ich in der grünen Dämmerung
des Weins verbringen,
ohne Gespräch. Die Zinnteller knistern.

Beug dich über den Tisch! Im Schatten
vergilbt die Karte von Portugal.

Einsicht

Alle wissen,
daß Mexiko ein erfundenes Land ist.

Als ich das Küchenspind öffnete,
fand ich die Wahrheit
zugedeckt
in den beschrifteten Büchsen.

Die Reiskörner
ruhen sich aus von den Jahrhunderten.
Vorm Fenster
setzt der Wind seinen Weg fort.

Augenblick im Juni

Wenn das Fenster geöffnet ist,
Vergänglichkeit mit dem Winde hereinweht,
mit letzten Blütenblättern der roten Kastanie
und dem Walzer „Faszination"
von neunzehnhundertundvier,
wenn das Fenster geöffnet ist
und den Blick freigibt auf Floßhafen und Stapelholz,
das immer bewegte Blattgewirk der Akazie, —
wie ein Todesurteil ist der Gedanke an dich.
Wer wird deine Brust küssen
und deine geflüsterten Worte kennen?

Wenn das Fenster geöffnet ist
und das Grauen der Erde hereinweht —

Das Kind mit zwei Köpfen,
— während der eine schläft, schreit der andere —
es schreit über die Welt hin
und erfüllt die Ohren meiner Liebe mit Entsetzen.
(Man sagt, die Mißgeburten nähmen seit Hiroshima zu.)

Wenn das Fenster geöffnet ist, gedenke ich derer,
die sich liebten im Jahre neunzehnhundertundvier
und der Menschen des Jahres dreitausend,
zahnlos, haarlos.

Wem gibst du den zerrinnenden Blick, der einst mein war?
Unser Leben, es fähret schnell dahin als flögen wir davon,
und in den Abgründen wohnt verborgen das Glück.

Königin Hortense

Alles in Blau, obwohl du kein Blau siehst:
Königin Hortense,
der Sommerhut breitrandig,
die vielen Bänder.

In Verbannung hinter der Hecke, — wie lange schon?
Niemand hat es gewußt, Majestät.
Ein Handschuhwinken: Geste aus Blütenstaub,
die Huld eines Mundes in Wespenflügeln.
Leicht zu vertauschen mit einer Blume, ach Königin.

Wer wart ihr andern im Garten, schreckliche Seelen?
Gebt Ruh, ihr, verborgen hinter der Schönheit!
Wo fängt eure Stille an? Es klirrt
von Geschmeide, von Ketten,
von Schaufeln, von Schwertern.
Es schreit.

Japanischer Holzschnitt

Ein rosa Pferd,
gezäumt und gesattelt, —
für wen?

Wie nah der Reiter auch sei,
er bleibt verborgen.

Komm du für ihn,
tritt in das Bild ein
und ergreif die Zügel!

Ein Windstoß

Starrer stehn die Weizenhalme,
wenn der Wind den Roggen wellt.
Staub hängt in zerrissnen Fahnen
länger als der Wind sie hält.
Nicht sein Wehen, sein Gedächtnis
regt sich im bewegten Feld,
bis der Staub, der ihn vergessen,
ockerrot und lautlos fällt.

Lesen im Gewitter

Texte, gesetzt
um deine Verfolgung zu regeln,
Buchstaben im Weiß,
schwarzes Geäst,
Laubwerk,
in die Ordnung des Bösen gebracht —

Für die Dauer des Blitzes
gewinnt dein Auge
seine Unschuld zurück:
Der Himmel
ist auf den Grund der Bäume gezeichnet,
die Nachricht für dich ist weiß.

Tauben

Taubenflug über die Äcker hin, —
ein Flügelschlag, der schneller ist als die Schönheit.
Sie holt ihn nicht ein, sondern bleibt mir
als Unbehagen zurück im Herzen.

Als wäre auch Taubengelächter vernehmbar
vor den Schlägen, den grün gestrichenen Zwerghäusern,
und ich beginne nachzudenken,
ob der Flug ihnen wichtig ist,
welchen Rang die Blicke zum Erdboden haben
und wie sie das Aufpicken des Korns einordnen
und das Erkennen des Habichts.

Ich rate mir selbst, mich vor den Tauben zu fürchten.
Du bist nicht ihr Herr, sage ich, wenn du Futter streust,
wenn du Nachrichten an ihre Federn heftest,
wenn du Zierformen züchtest, neue Farben,
neue Schöpfe, Gefieder am Fuß.
Vertrau deiner Macht nicht,
so wirst du auch nicht verwundert sein,
wenn du erfährst, daß du unwichtig bist,

daß neben deinesgleichen heimliche Königreiche bestehen,
Sprachen ohne Laut, die nicht erforscht werden,
Herrschaften ohne Macht und unangreifbar,
daß die Entscheidungen geschehen im Taubenflug.

Nahe bei Aachen

Die Geheimnisse
wurden bekannt gegeben.
Hydrantenzeichen
mit der vergeblichen
Blutspur des Holunders.

Kaiser:
Die schreiben können,
warten mit den Urkunden.
Zieh die Unterschrift voll
mit zwei Strichen: Carolus.

Ende August

Mit weißen Bäuchen hängen die toten Fische
zwischen Entengrütze und Schilf.
Die Krähen haben Flügel, dem Tod zu entrinnen.
Manchmal weiß ich, daß Gott
am meisten sich sorgt um das Dasein der Schnecke.
Er baut ihr ein Haus. Uns aber liebt er nicht.

Eine weiße Staubfahne zieht am Abend der Omnibus,
wenn er die Fußballmannschaft heimfährt.
Der Mond glänzt im Weidengestrüpp,
vereint mit dem Abendstern.
Wie nahe bist du, Unsterblichkeit, im Fledermausflügel,
im Scheinwerfer-Augenpaar,
das den Hügel herab sich naht.

Nachts

Nachts hören, was nie gehört wurde:
den hundertsten Namen Allahs,
den nicht mehr aufgeschriebenen Paukenton,
als Mozart starb,
im Mutterleib vernommene Gespräche.

Himbeerranken

Der Wald hinter den Gedanken,
die Regentropfen in ihnen
und der Herbst, der sie vergilben läßt —

ach, Himbeerranken aussprechen,
dir Beeren ins Ohr flüstern,
die roten, die ins Moos fielen.

Dein Ohr versteht sie nicht,
mein Mund spricht sie nicht aus,
Worte halten ihren Verfall nicht auf.

Hand in Hand zwischen undenkbaren Gedanken.
Im Dickicht verliert sich die Spur.
Der Mond schlägt sein Auge auf,
gelb und für immer.

Inhalt